はたらくロボットずかん 3

工場ではたらくロボット

監修 平沢岳人
（千葉大学大学院工学研究院教授）

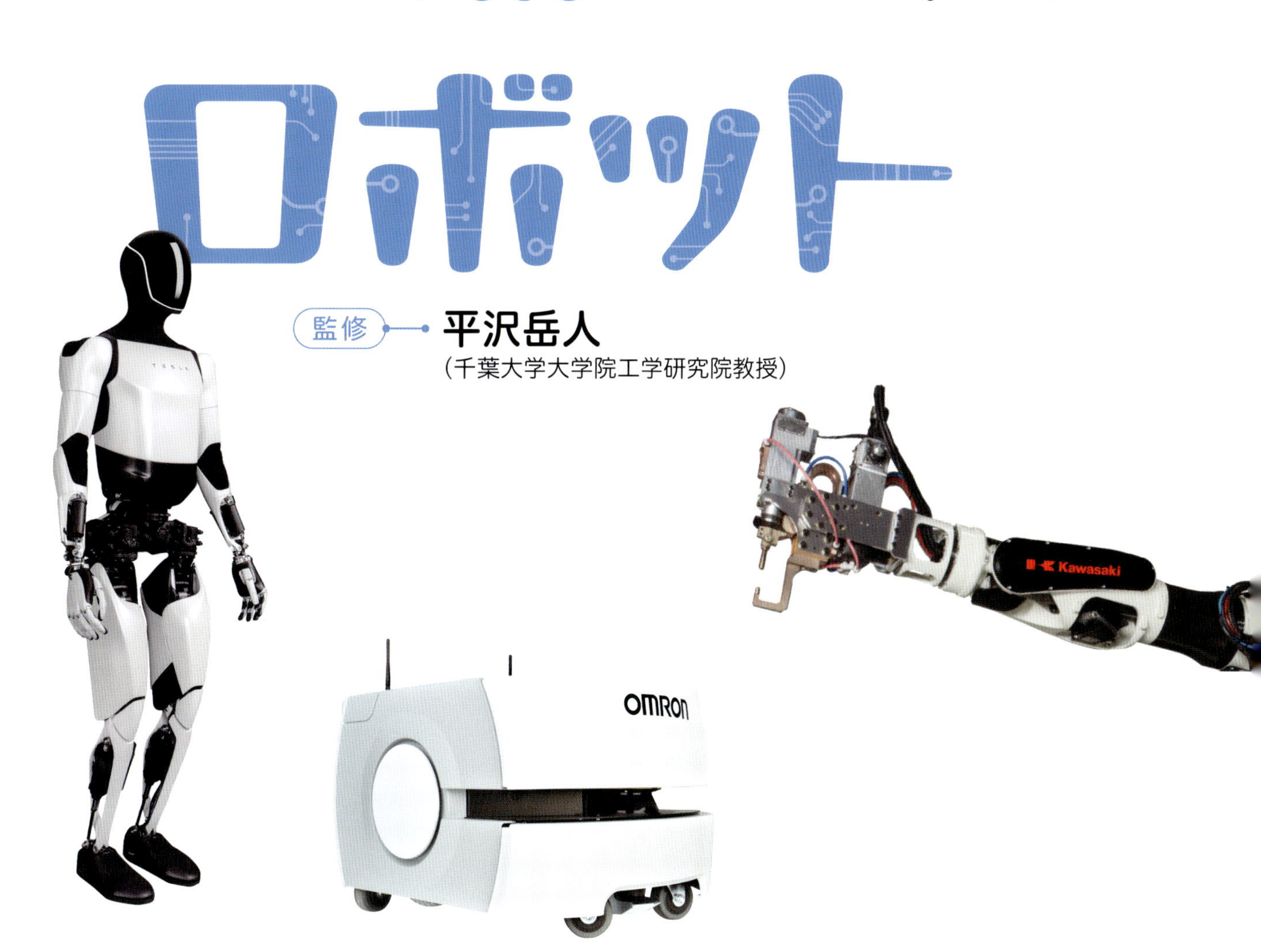

小峰書店

はじめに

人とともにはたらくロボットへ

ロボットは大きく2つのしゅるいに分けられます。1つは、工場で人間が長い時間つづけるのがたいへんなしごとや、きけんなしごとをする「産業用ロボット」。もう1つが、工場ではない場所で人間の手だすけをする「サービスロボット」です。

ほとんどの産業用ロボットは、大きくて力が強く、うごくスピードもはやいので、安全のために「さくでかこってつかう」ことが法律できめられています。工場の中でも人間とはなれた場所で、おもに「ものをつくる」作業をしています。しかし、ロボットの研究がすすんだことで、産業用ロボットの中にも、人間とならんでいっしょにはたらける「人協働ロボット」が登場し、その数をふやしてきています。

このシリーズでは、今、かつやくしているロボットや、これからかつやくしそうなロボットをしょうかいします。この本では、工場や倉庫などではたらくロボットたちを見ていきます。

この本を読み終えたみなさんは、大人が考えもしなかった「工場ではたらくロボット」を思いつくかもしれません。そんなふうに、みなさんがロボットに少しでも興味をもつきっかけに、この本がなれたのなら、とてもうれしく思います。

平沢岳人
(千葉大学大学院工学研究院教授)

この本の見方

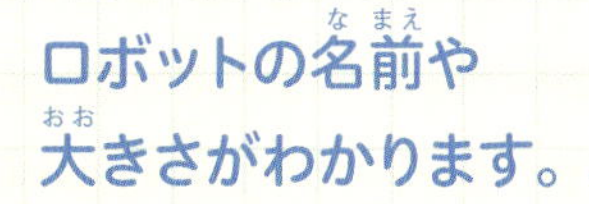

ロボットの名前や大きさがわかります。

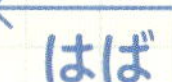

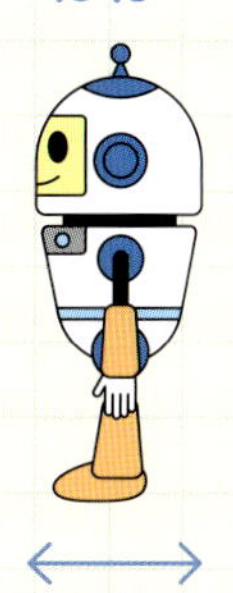

「奥行き」は、ロボットのしゅるいや形によって、「長さ」にかわる場合があります。

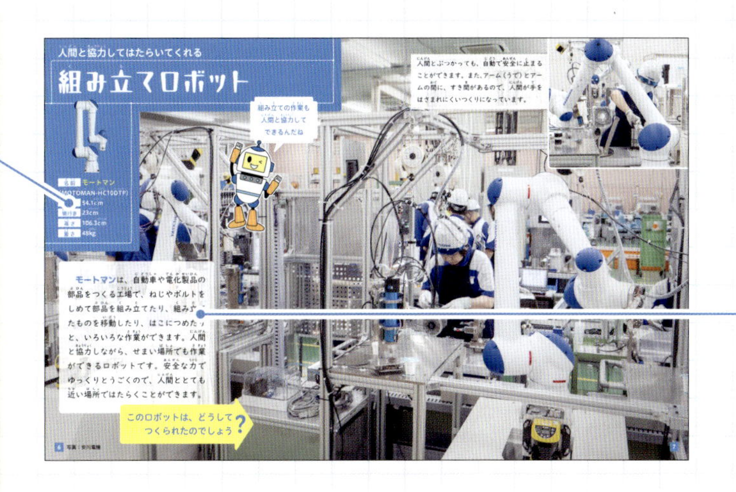

どのようなときに、人間の手だすけをしてくれるロボットなのかがくわしく書かれています。

どうして、このロボットがつくられたかが書かれています。

ロボットがつくられる、きっかけとなった、人間の「こまりごと」がわかります。

このロボットがあれば、わたしたち人間に、どのように役立つかがわかります。

ロボットがどのようなしくみで、うごいたり話したりしているかがわかります。

どこがすごいのか、ロボットのひみつがわかります。

「もっと知りたい！　はたらくロボット」では、ほかにもかつやくしているロボットたちをしょうかいします。

名前や大きさ、どのようなロボットなのか、ロボットの「ここがすごい！」ところがせつめいされています。

ぼくは、ロボタ。この本を案内するよ。さあ、工場ではたらく、ぼくのなかまたちを見にいこう！

工場ではたらくロボットたち

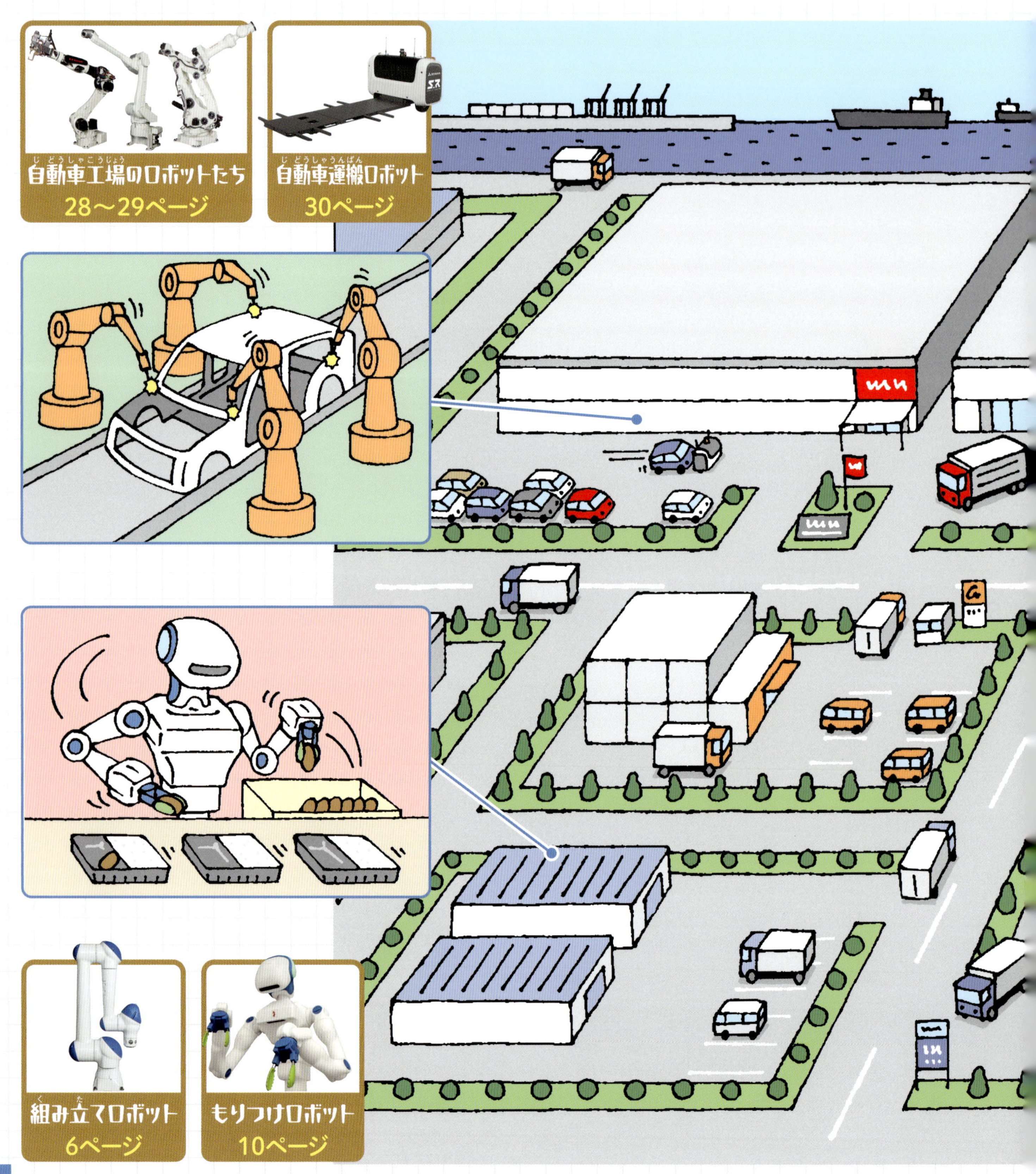

この本では、工場ではたらくロボットたちをしょうかいします。
ものをつくったりはこんだり、工場の中を点検したりするロボットです。
ロボットが、どのように人をたすけてくれているのか、見ていきましょう。

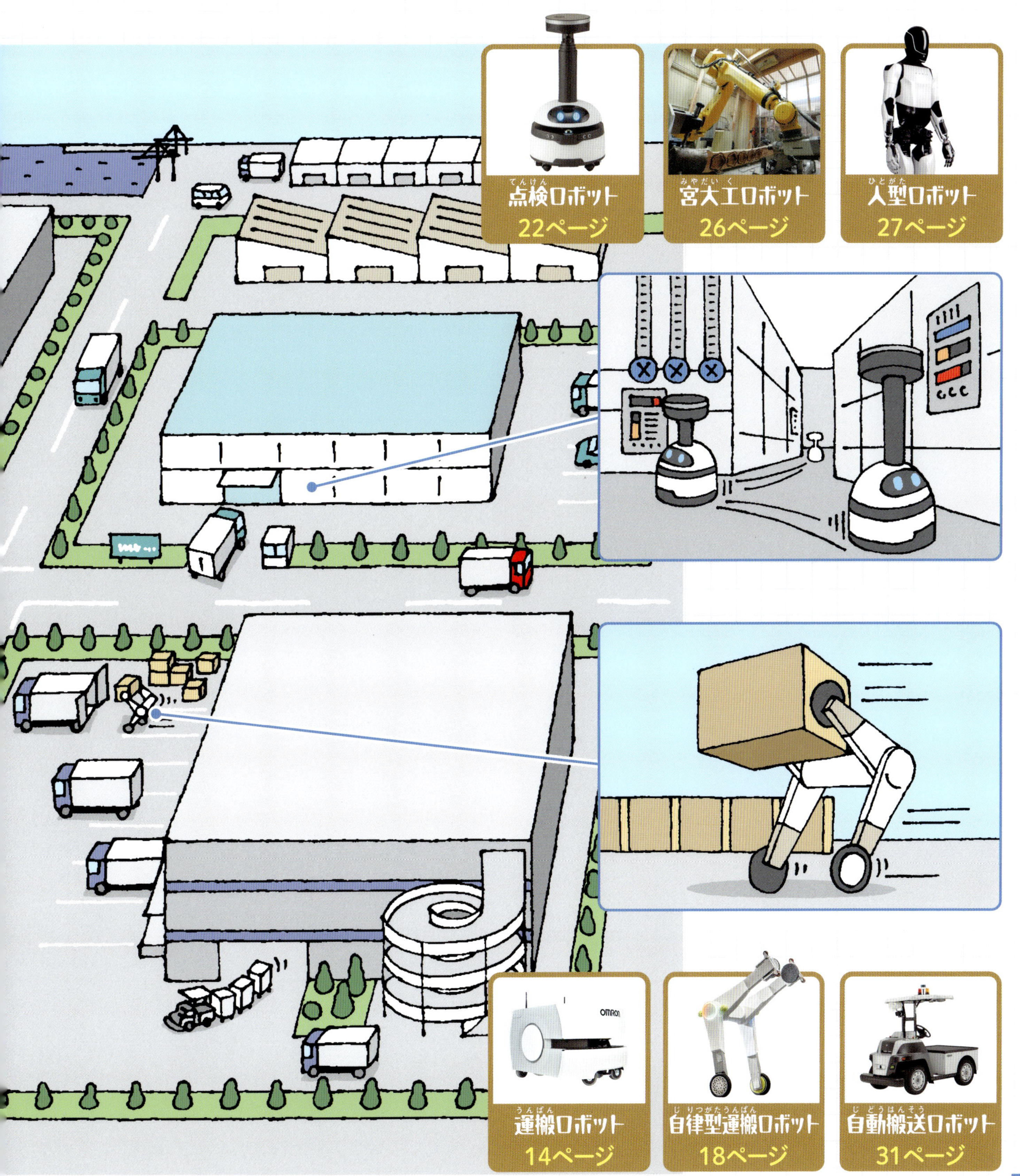

人間と協力してはたらいてくれる

組み立てロボット

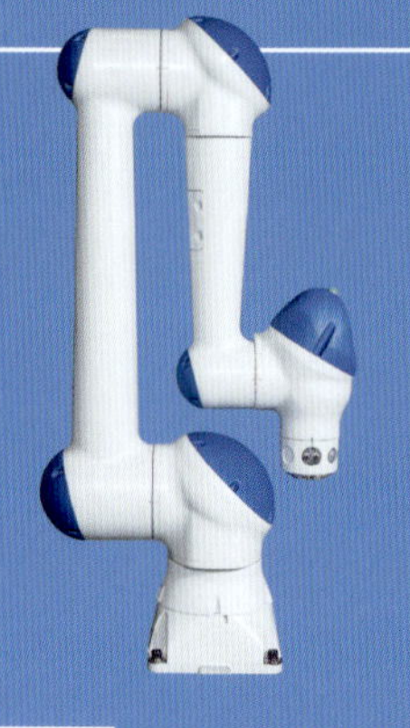

名前	モートマン (MOTOMAN-HC10DTP)
はば	54.1cm
奥行き	23cm
高さ	106.3cm
重さ	48kg

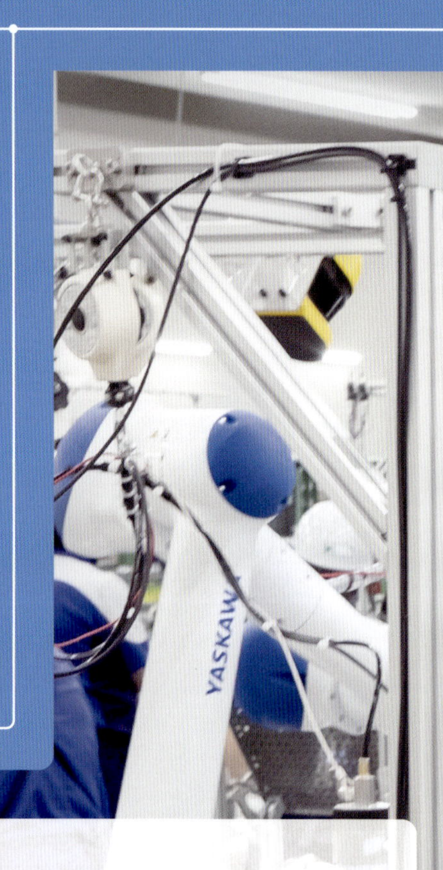

組み立ての作業も人間と協力してできるんだね

モートマンは、自動車や電化製品の部品をつくる工場で、ねじやボルトをしめて部品を組み立てたり、組み立てたものを移動したり、はこにつめたりと、いろいろな作業ができます。人間と協力しながら、せまい場所でも作業ができるロボットです。安全な力でゆっくりとうごくので、人間ととても近い場所ではたらくことができます。

このロボットは、どうしてつくられたのでしょう？

写真：安川電機

人間とぶつかっても、自動で安全に止まることができます。また、アーム（うで）とアームの間に、すき間があるので、人間が手をはさまれにくいつくりになっています。

?

このロボットは人間といっしょにはたらくためにつくられました！

工場をもっている会社の人のこまりごと

大きくて力の強いロボットは、場所をとります。人といっしょにはたらけるロボットがほしいです。

工場ではたらく人のこまりごと

長い時間作業をしていると、つかれてしまうので、ミスを出さないようにするのはたいへんです。

人間と近い場所で安全にはたらけて、いいものがつくれる！

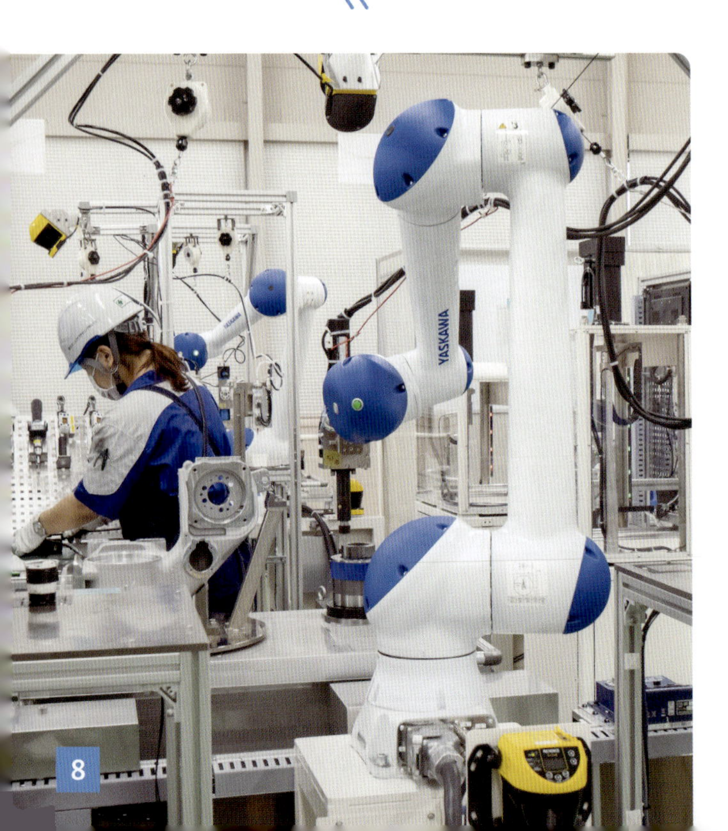

大きく力の強いロボットと人間は、近い場所ではたらくことができません。でも、人間だけで作業をすると、まちがえたり、時間がかかったりしてしまいます。

このロボットがあれば、ぶつかってもけがをすることがないので、いっしょに作業していて安心です。また、作業をまちがえることなく、いつでも同じものをはやくつくることができるのです。

教えて！ロボットのしくみとひみつ

しくみ

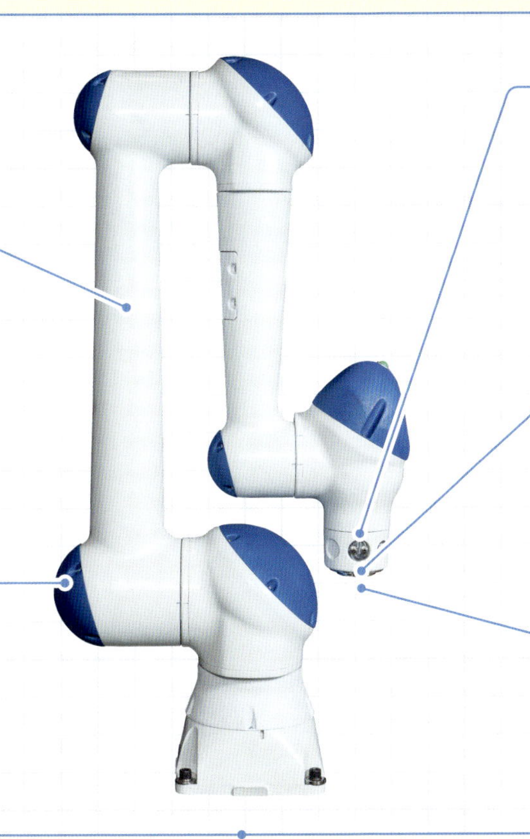

アーム

人間のうでの役目をするところ。138cmの長さまでのばすことができて、重さ10kgの部品をもち上げることもできます。

関節

人間のひじやひざのようにまがるところや、回転するところが6か所（青いところ）あります。

ボタン

ロボットに、アームのうごかし方を教えるときにつかいます。

センサー

アームの先にあって、自分の位置から組み立てる部品までのきょりをはかります。

作業に合わせて、アームの先に、人間の手の役目をする、ハンドをとりつけることができます。

ひみつ1 どうして安全に止まれるの？

モートマンは何かにぶつかると、きけんだとかんじて、少しもどって止まるようにつくられています。少しもどることで、ぶつかった力をやわらげているのです。リンゴでも、きずがつかないやさしい力で止まります。

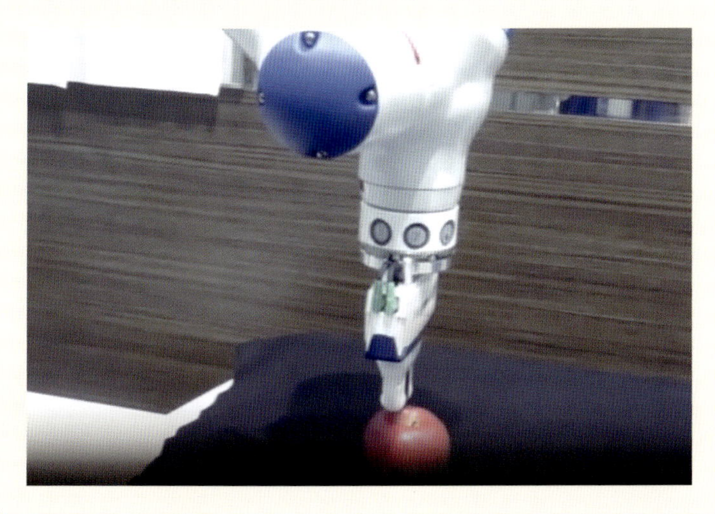

ひみつ2 作業のやり方はどうやって教えるの？

つかう人がアームの先にあるボタンをおしながら、アームを手でうごかすと、作業のためのうごきをおぼえさせることができます。楽にうごかせるので、ロボットになれていない人でも、かんたんにあつかうことができます。

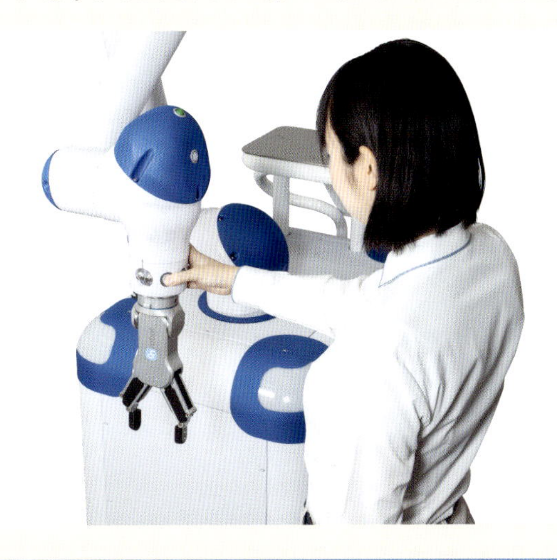

おかずを見分(みわ)けて、正(ただ)しい場所(ばしょ)におく

もりつけロボット

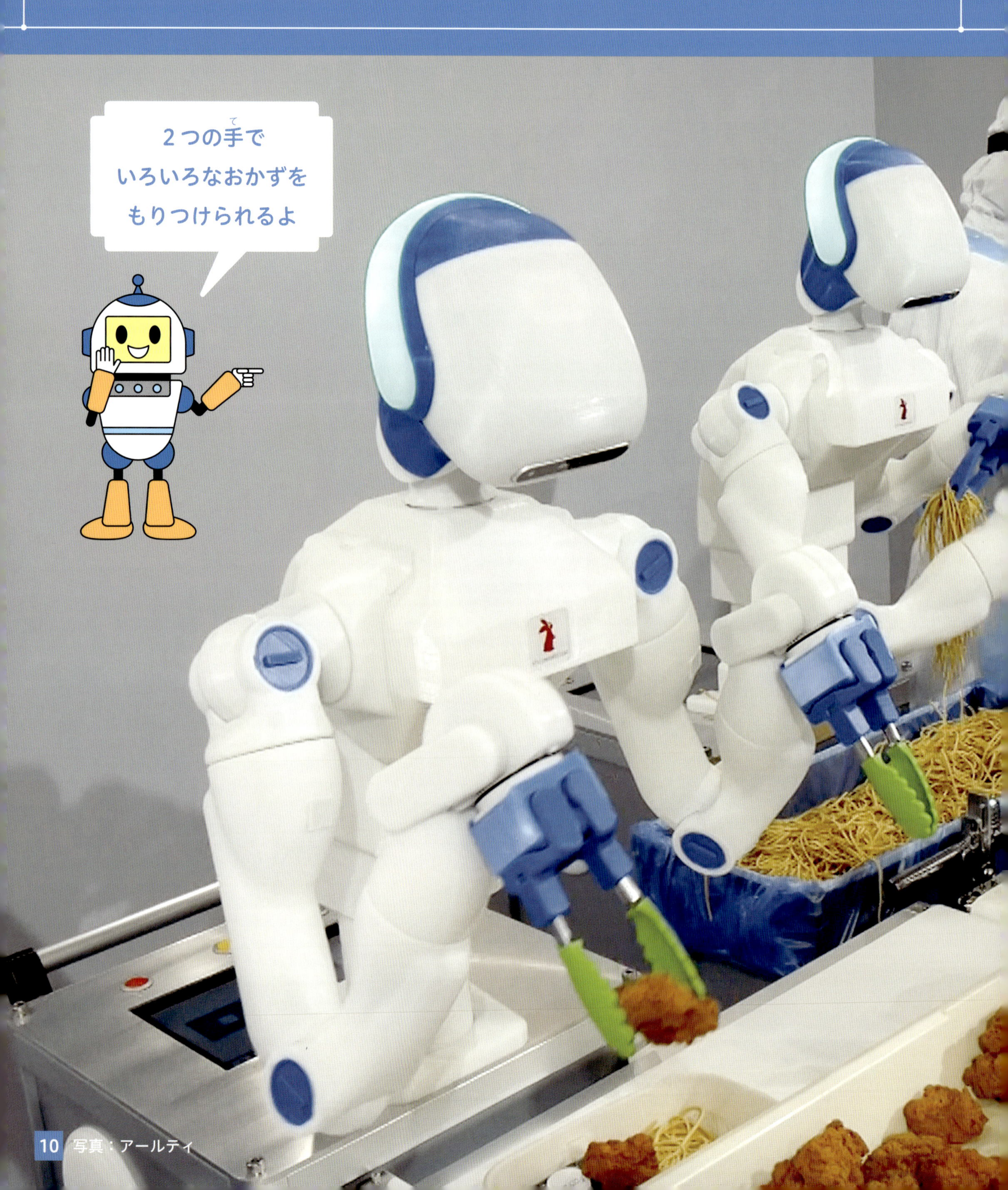

写真：アールティ

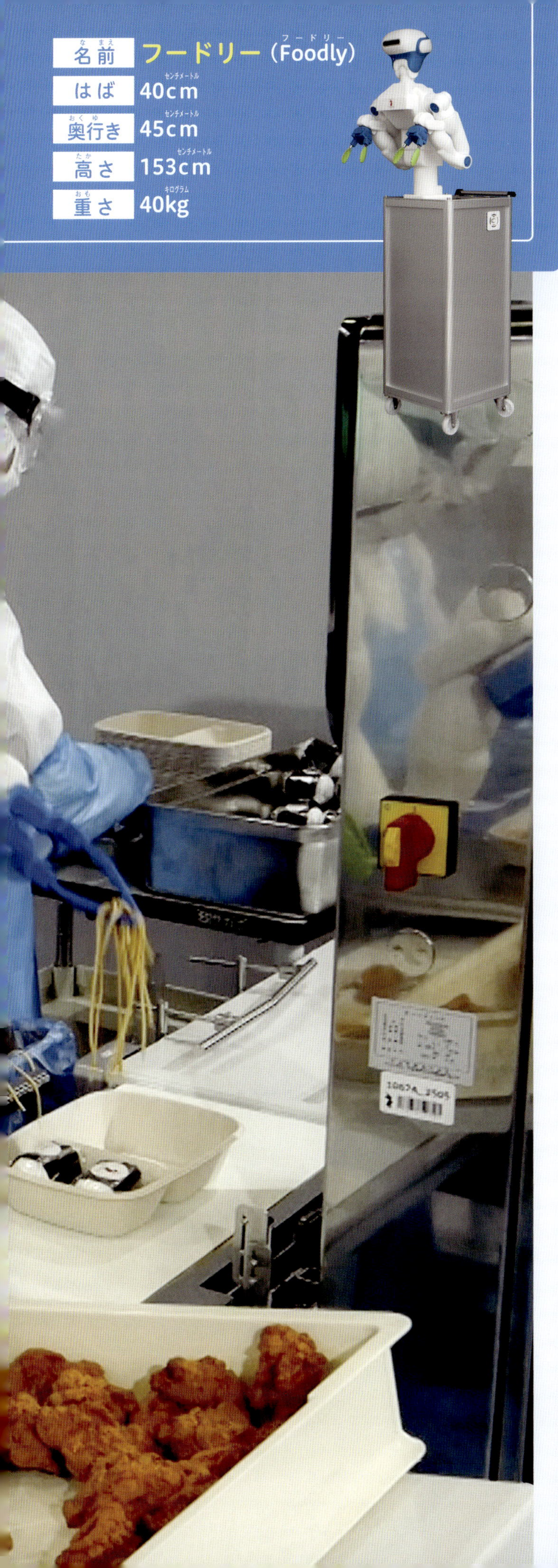

名前	フードリー（Foodly）
はば	40cm
奥行き	45cm
高さ	153cm
重さ	40kg

フードリーは、人間と協力してはたらく、人型のロボットです。おもに、弁当工場で人間といっしょにならんで、お弁当におかずを入れていく、もりつけロボットとしてはたらいています。

お弁当はしゅるいによって、おかずの数や入れものの形がちがいます。フードリーはそれらをおぼえて、おかずを入れまちがえずに、入れものの正しい場所においていくことができます。

このロボットは、どうして つくられたのでしょう？

人間とならんではたらくことが多いので、もしぶつかったとしても、当たったときの力をやわらげられるようにつくられています。

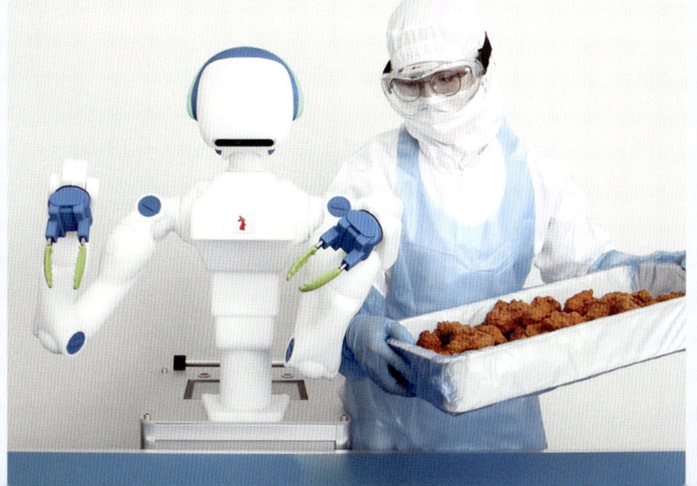

?

このロボットは お弁当のもりつけを手つだう ためにつくられました！

弁当工場ではたらく人のこまりごと

もりつけはたいへんなので、人間のようにうごけて、いっしょにはたらけるロボットがほしいです。

弁当工場ではたらく人のこまりごと

しごとのときはいつも、かみの毛が入らないか、病気がうつらないかと心配しています。

もりつけをまかせられて、安全なお弁当をつくることができる

もりつけは、細かく時間のかかる作業のため、人間が手作業でおこなうのがふつうでした。しかし、人間の場合、かみの毛が入ったり、病気のもとのばいきんがもちこまれたりといった、きけんもあります。

このロボットがあれば、お弁当のおかずのもりつけをまかせられます。食品でないものが入る心配もないので、安全なお弁当をつくることができるのです。

教えて！ ロボットのしくみとひみつ

しくみ

カメラ（頭）
大きさや形がバラバラな食べものでも、１つずつ見分けることができます。

ライト
赤、青、黄、みどりの４色に光ります。色によって、作業中であることをまわりに知らせます。

体
部品をつなぐねじが、お弁当におちて入らないように、体の表面にねじが出ないようにつくられています。

カメラ（むね）
お弁当のしゅるいがかわるたびに、入れものの大きさや形をたしかめます。

ハンド
人間の手の役目をするところ。おかずに合わせてつかむ道具をつけかえられます。

アーム
人間のうでの役目をするところ。２つのアームをつかって、多くのおかずをもりつけられます。

ひみつ１　どうやって、おかずを見分けているの？

はじめに、自分で学習するAIが組みこまれた頭のカメラで、おかずの形をおぼえます。形も大きさもちがうからあげのように、たくさんつまれていると、１つが見分けにくいおかずでも、学習して見分けられるようになります。

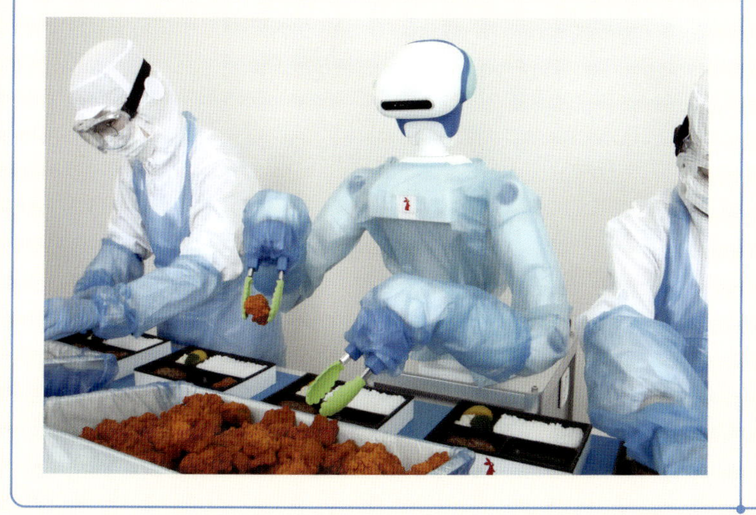

ひみつ２　どうしておかずをつぶさずにつかめるの？

はじめに、もりつけるおかずのとくちょうを学び、つかむときはカメラでたしかめて、つぶさないように力をおさえながらつかみます。おかずの形や大きさ、かたさやすべりやすさに合わせて、つかむ道具もかえられます。

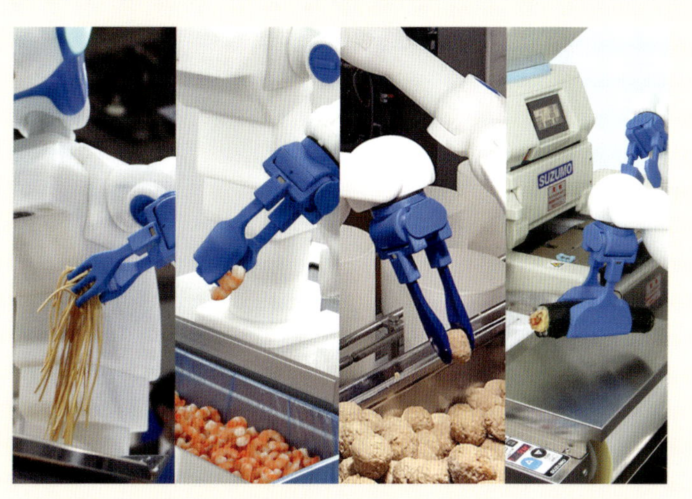

倉庫や工場の中の地図をつくって、荷物をはこぶ

運搬ロボット

名前	LD-60
はば	50cm
奥行き	69.9cm
高さ	38.3cm
重さ	62kg

LD-60は、工場でつかういろいろな材料や、倉庫にとどいた荷物を、自動ではこべる運搬ロボットです。

LD-60は、一度、倉庫や工場の中を走らせるだけで、自分が移動するための地図をつくることができます。この地図を手がかりにして、倉庫や工場の中を自由にうごき回ります。目的の場所まで、いちばんむだのない道順をえらんで荷物をはこんでくれます。

このロボットは、どうしてつくられたのでしょう？

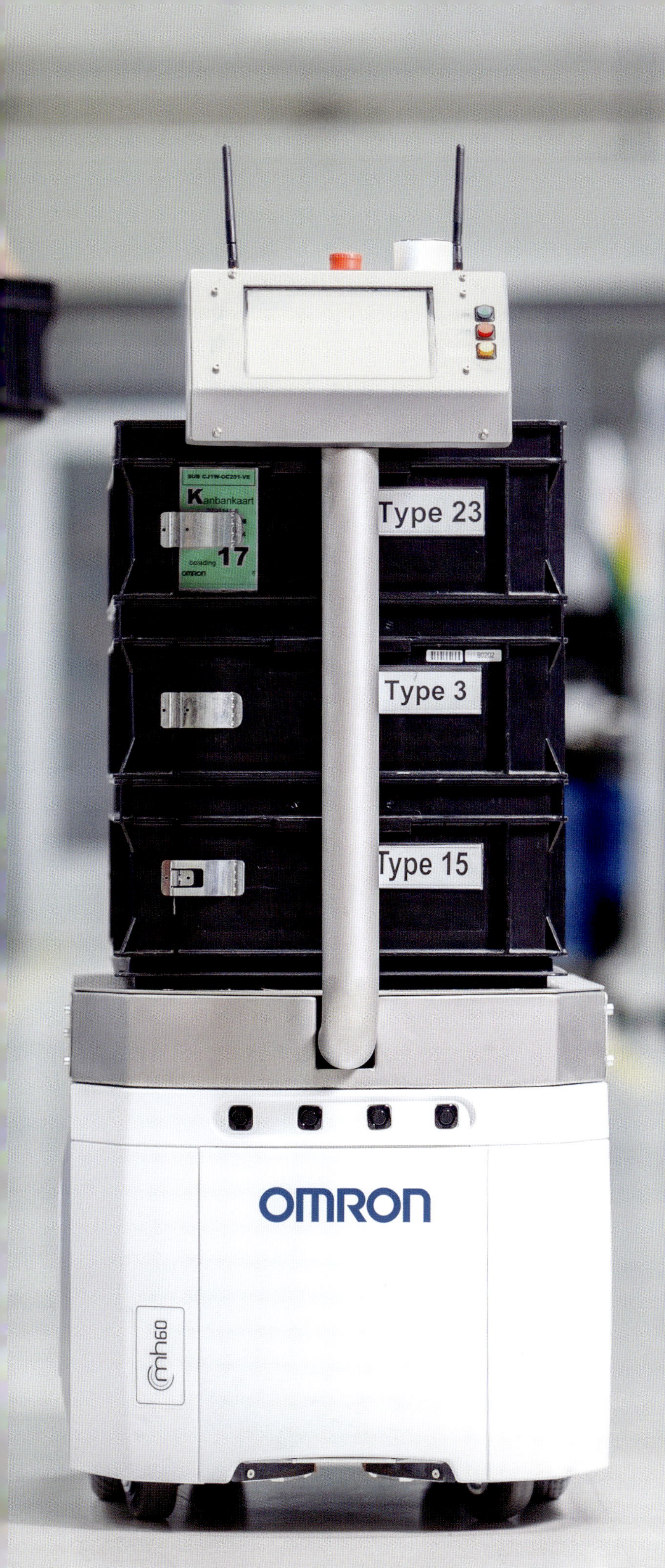

LD-60は、上に荷台をのせて、荷物をはこびます。一度、充電すると、12時間は荷物をのせてもつかれることなく休まずに、倉庫や工場をうごき回ります。

写真：オムロン

このロボットは荷物をはこび、整理するためにつくられました！

倉庫ではたらく人のこまりごと

倉庫が荷物でいっぱいになっているので、はこんだり、整理したりすることがたいへんです。

工場ではたらく人のこまりごと

重い部品をたくさんはこぶときには、こしをいためることがあるし、とても時間がかかります。

重い荷物を楽々はこんで、作業をする人のしごとをへらせる

近ごろは、インターネットで買いものをする人がふえて、配送をする会社の倉庫は、荷物でいっぱいになっています。そのため、LD-60のような運搬ロボットが大かつやくしています。

このロボットがあれば、倉庫の荷物や、工場の部品を早くはこぶことができます。また、作業をする人が重い荷物で、けがをすることもなくなります。

教えて！ ロボットのしくみとひみつ

ロボットの上には、荷台をとりつけて、荷物をのせてはこびます。

バックソナー

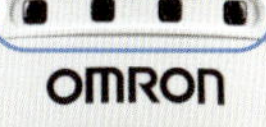

人やものが近づくと気がつく、後ろにあるセンサーです。

アンテナ

パソコンとつなげるためのアンテナです。

ライト

光ることで、今、うごいているか、止まっているかをまわりに知らせます。

バンパー

人やほかのロボットがぶつかっても、その力をやわらげます。

センサー

前のひくい位置にあるものがわかります。

センサー

すすむ方向に人がいたり、ものがあるとき気がつきます。ものとのきょりをはかって、自分のいる位置をたしかめます。

ひみつ1 どのくらいの重さの荷物をはこべるの？

LD-60は、荷物に合わせて荷台にいろいろな高さのたなをとりつけられます。人間がはこぶと何回もかかる、たくさんの重たい荷物も、荷台のたなをふやせば1回で60kgまでのせられるので、少ない回数ではこべます。

ひみつ2 どうして人やものにぶつからないの？

LD-60には、センサーが組みこまれているので、人やほかのロボットが近づいてきたら、わかります。自分が通る道に、ものがあって通れない場合でも、どうよければいいかを考え、ぶつからずにべつの道をえらんですすみます。

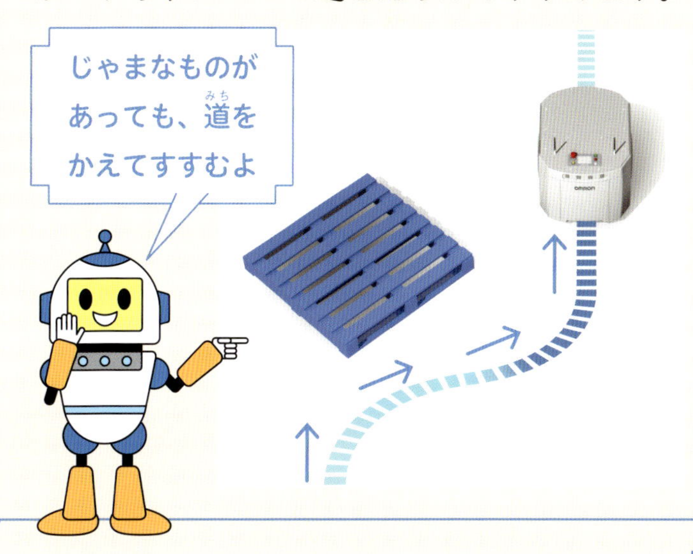

荷物のつみおろしをして、はこんでくれる

自律型運搬ロボット

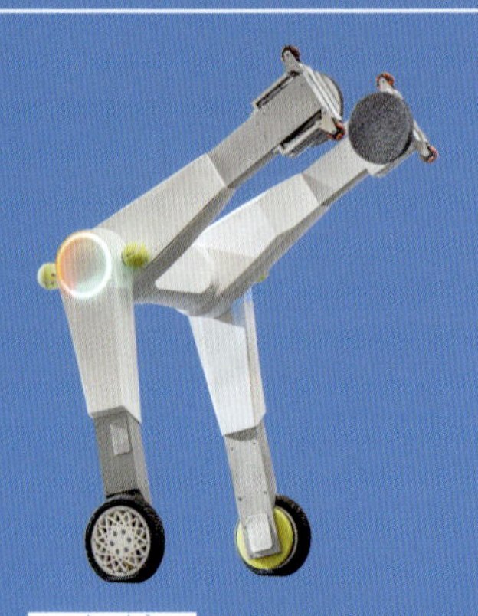

名前	エボボット (evoBOT)
はば	78.5cm
奥行き	19.2cm
高さ	92.3cm
重さ	40kg

エボボットは、工場や倉庫の荷物をつんだりおろしたり、きめられた場所にはこんだりする、自律型運搬ロボットです。

エボボットは、２つのうでと手、足と車輪というかんたんなつくりですが、とても力が強くかしこいロボットです。重い荷物をもち上げてかかえながら、バランスをとることができます。そして、足の先についた車輪で、すばやくうごくこともできます。

このロボットは、どうしてつくられたのでしょう？

エボボットは、工場や倉庫だけでなく、大きくて重たい荷物がたくさんとどく、空港でもかつやくしています。

Fraunhofer IML, Neuhaus／Fraunhofer IML, Vinzenz Neugebauer

写真：フラウンホーファーIML（物流・ロジスティクス研究所）フラウンホーファー日本代表部

このロボットは荷物のつみおろしや、移動のためにつくられました！

倉庫ではたらく人のこまりごと

荷物のつみおろしや、はこぶ作業にかかる時間を短くしたいです。

フォークリフトの作業員のこまりごと

重たい荷物をとりあつかっているので、荷物がおちてきて、けがをするのがこわいです。

荷物をはこぶ作業時間をへらして、人間は安全にほかのしごとができる

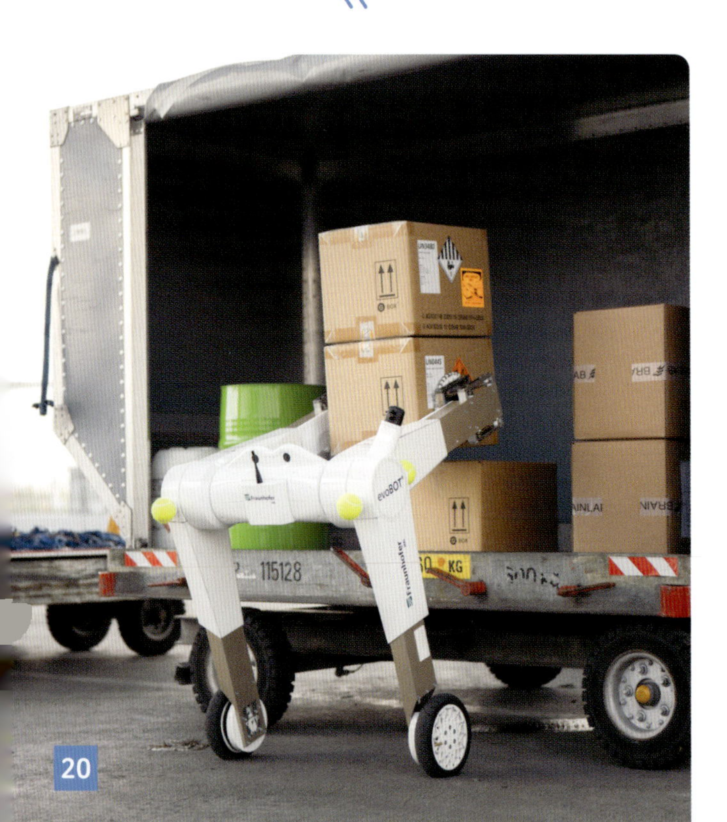

荷物のつみおろしや、移動させる作業は人間がフォークリフトをつかっても、とても時間がかかります。また、長時間のくりかえしの作業は、思いがけないじこをおこし、けがをする心配もあります。

このロボットがあれば、休みなしで荷物をはこべるので作業時間をへらせます。また、人間は荷物をはこばなくていいので、ほかのしごとができるようになります。

教えて！ ロボットのしくみとひみつ

アームとハンド

荷物をはさんで、もち上げます。ふぞろいな形の荷物でも、わざと体をかたむけてもち上げ、バランスをとることができます。

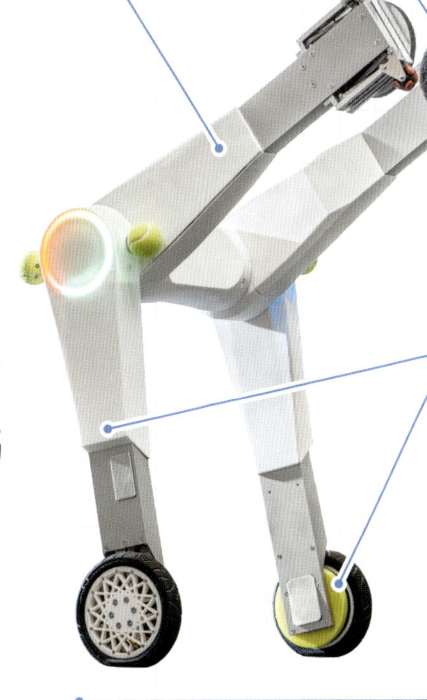

カメラ

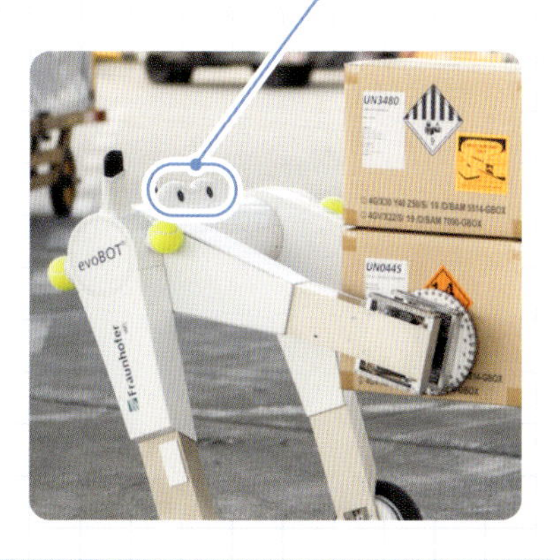

人間の目と同じように、2つのカメラにうつった荷物と、自分とのきょりをはかります。

足と車輪

車輪がついた2本の足で走ります。外のでこぼこした道でもすすむことができるし、急な坂をのぼることもできます。

ひみつ1 どのくらいのスピードでうごけるの？

エボボットは、2つの車輪をつかって、とてもはやく走れます。1時間で60kmをすすむ、時速60kmで走る自動車と同じくらいのスピードが出せます。また、きけんをかんじたときは、急ブレーキもかけられます。

ひみつ2 どのくらいの重さの荷物をはこべるの？

エボボットは、重さ65kgまでの荷物なら、自分でもち上げたり、下ろしたりできます。だれかにもたせてもらえれば、100kgの荷物もはこべます。荷物の重さに合わせて体をかたむけて、バランスをとってすすみます。

Fraunhofer IML, Neuhau／Fraunhofer IML, Sebastian Beierle／Fraunhofer IML, Vinzenz Neugebauer

工場の中を点検して、安全をまもる

点検ロボット

名前	ユーゴーミニ (ugo mini)
はば	35cm
奥行き	35cm
高さ	62～182cm
重さ	16kg

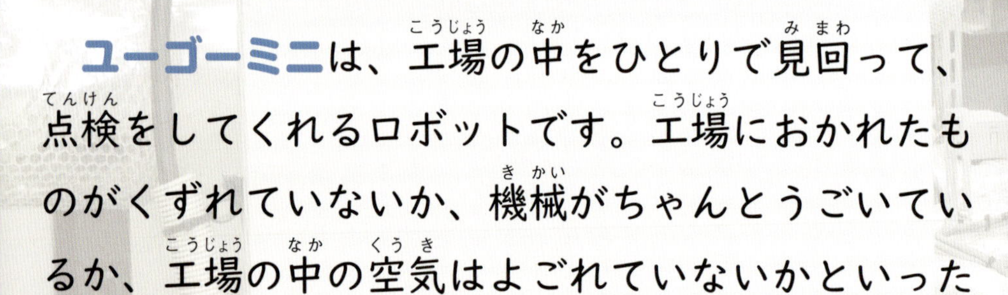

ユーゴーミニは、工場の中をひとりで見回って、点検をしてくれるロボットです。工場におかれたものがくずれていないか、機械がちゃんとうごいているか、工場の中の空気はよごれていないかといったことをしらべて、問題があれば教えてくれます。

点検がおわると、カメラでうつした写真や映像といっしょに、点検したことをまとめて、パソコンやスマートフォンにおくることもできます。

このロボットは、どうしてつくられたのでしょう？

 写真：ugo

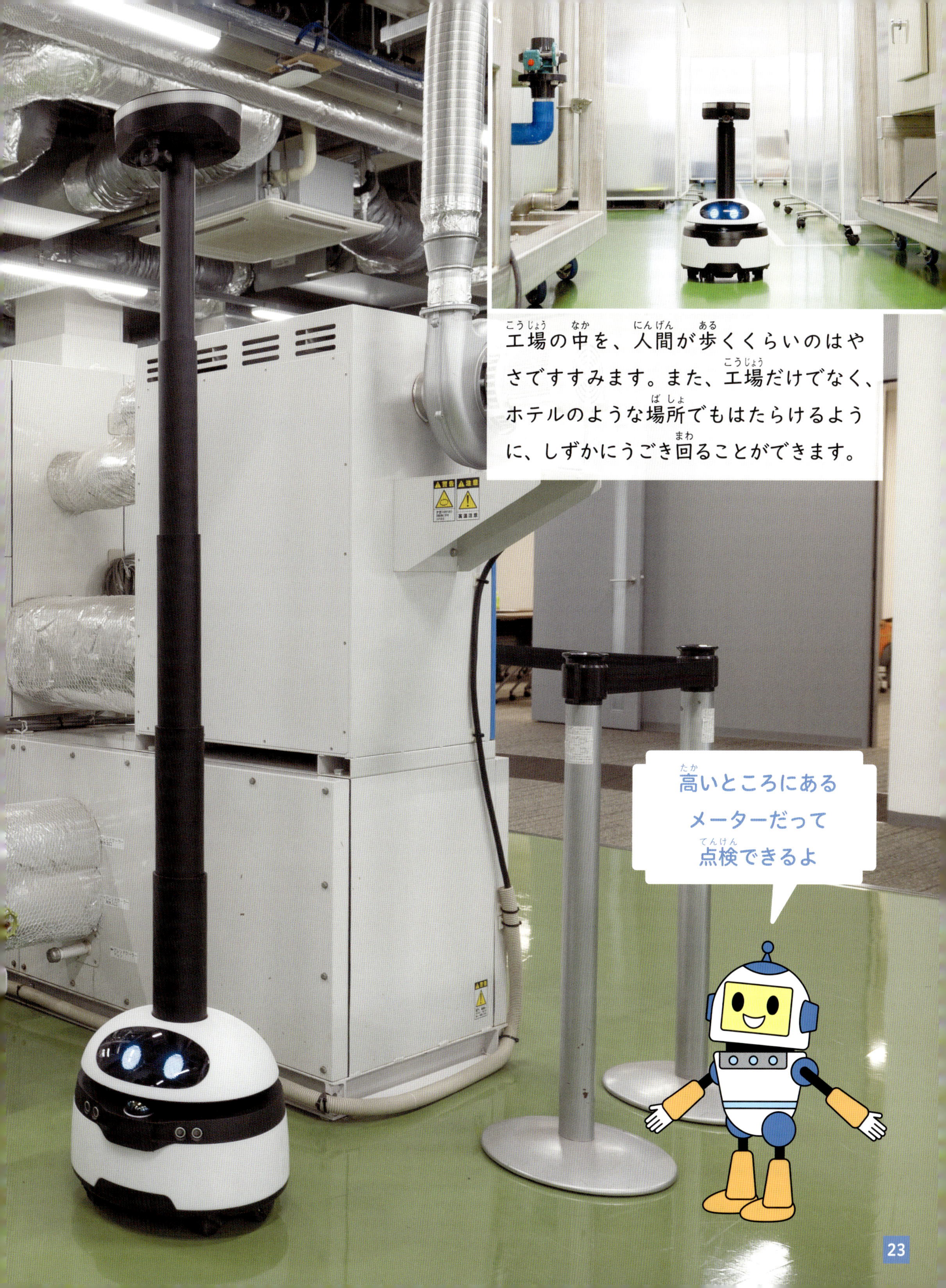

工場の中を、人間が歩くくらいのはやさですすみます。また、工場だけでなく、ホテルのような場所でもはたらけるように、しずかにうごき回ることができます。

このロボットは正しく工場の点検をするためにつくられました！

工場長のこまりごと

作業員が工場を１日に何回も見回るのは、人手も時間もかかってたいへんです。

点検をする人のこまりごと

たくさんのメーターを点検するので、点検しわすれたり、まちがえたりしてたいへんです。

工場の中を見回って、点検のしごとを手つだうことができる

点検のしごとは、広い工場を見回るので、人手もいるし、時間もかかります。工場の機械がこわれていないかをたしかめたり、たくさんあるメーターの数字を点検したりするのは、たいへんな作業です。

このロボットがあれば、休まずに１日に何回も点検ができます。また、はやく正しく記録できるので、人間は安全な工場で、安心してはたらくことができます。

教えて！ ロボットのしくみとひみつ

カメラ

上と下に向きをかえられるので、広い場所を見ることができます。

さまざまな色で光ります。赤い色の光を回転させて、まわりにきけんを知らせることができます。

180cmまでのばせるので、カメラの高さをかえることができます。

今、何をしているかを文字で知らせたり、目の形をかえることで、気もちをつたえます。

レーザーセンサー

目に見えない光を当てて、まわりのものを見分け、工場の中で自分がどこにいるかをたしかめます。

超音波センサー

人には聞こえない「超音波」を当てて、はねかえってきた時間を計算して、まわりのものとのきょりをはかります。

ひみつ 1 小さな点検ロボットはどこが便利なの？

工場の中は大きな機械がたくさんならんでいて、通路がせまいところがあります。ユーゴーミニは、はばと奥行きが35cm、高さも62cmまで小さくちぢめられるロボットなので、せまい場所での点検がとくいです。

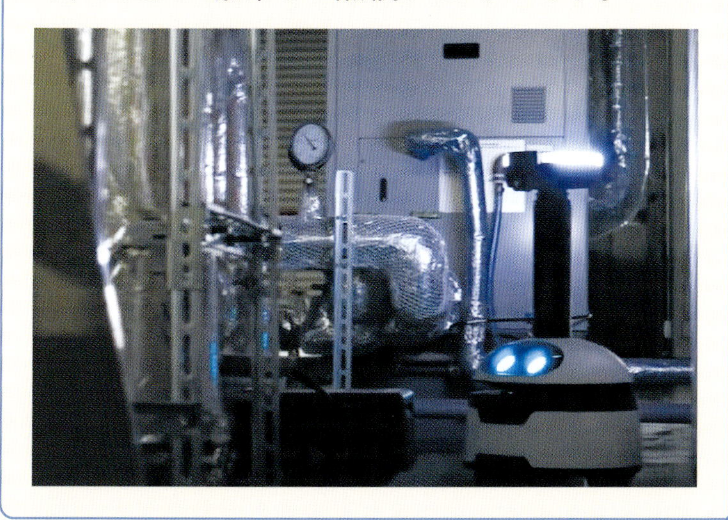

ひみつ 2 メーターの数字はどうやって読みとるの？

工場には温度やガスもれをはかるメーターがあります。ユーゴーミニは、カメラやセンサーでメーターの数字を読みとって記録します。メーターが高い場所にあっても、テレスコピックポールをのばして読みとることができます。

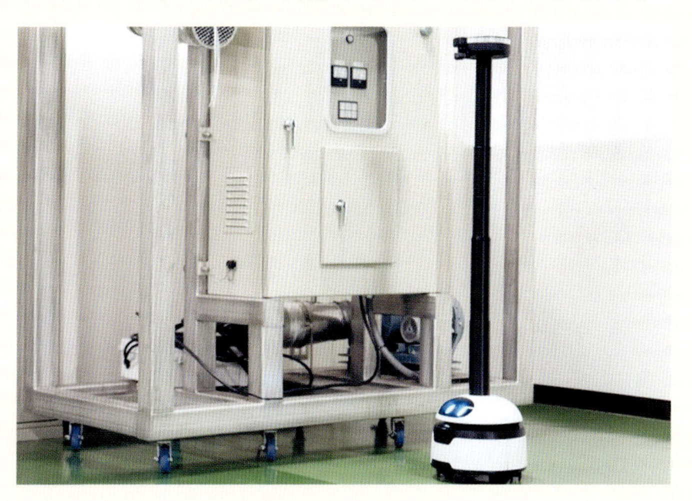

古くからつたわるわざを未来につたえる

宮大工ロボット

名前	ロボット棟梁
はば	531cm
奥行き	457.4cm
高さ	349cm
重さ	1090kg

ここがすごい！

ロボット棟梁は、宮大工のように図面をつくり、図面のとおりの大きさに木材を切ることができます。下の写真は、ロボット棟梁が切った木材で組んだ屋根です。

ロボット棟梁は、宮大工のしごとを手つだうロボットです。宮大工は、古くからつたわるわざをつかって、寺や神社をたてたり、修理したりする大工のことです。研究中のロボットですが、完成すれば、宮大工のわざを未来につたえたり、修理の時間やお金をへらしたりできます。

 写真：千葉大学

はたらく場所は、工場から家へ

人型ロボット

オプティマスは、2本足で歩くロボットで、人間と同じように、はたらくことをめざしています。工場で、きけんな作業や、くりかえしの多い作業をするためにつくられました。今、アメリカの電気自動車をつくる工場で、かんたんな作業をしてはたらいています。

ここがすごい！

今は、家で料理やせんたくを手つだうことができるように、家事ロボットとしての研究もすすめられています。一家に1体、オプティマスがいる未来は、すぐ近くまで来ているのかもしれません。

名前	オプティマス（Optimus）
高さ	173cm（身長）

※オプティマスは、身長のほかの大きさが発表されていません（2025年3月現在）。

写真：テスラ

車づくりでかつやくする

自動車工場のロボットたち

1 プレス

プレスは「おす」という意味です。鉄の板を切って強い力でおしまげ、車体と、ドアやボンネットなどの部品をつくります。

2 溶接

つぎに、溶接ロボットがプレスでつくられた部品を、電気やレーザー光線の熱でとかしながら、つなぎ合わせていきます。

3 運搬

つなぎ合わされて重たくなった車体を、1500kgまでもち上げられる運搬ロボットが、つぎの作業をする場所にはこびます。

4 塗装

溶接された車体をあらった後、きれいに仕上げるために、塗装ロボットがなんども塗料をかさねてぬっていきます。

運搬ロボット

名前	MG15HL
はば	135.8cm
奥行き	395.2cm
高さ	353cm
重さ	650kg

写真：川崎重工業

1台の自動車をつくるためには、いろいろなしごとがあって、たくさんのロボットがはたらいています。ここでは、自動車工場ではたらく、さまざまなロボットたちと、そのしごとを見ていきましょう。

溶接ロボット

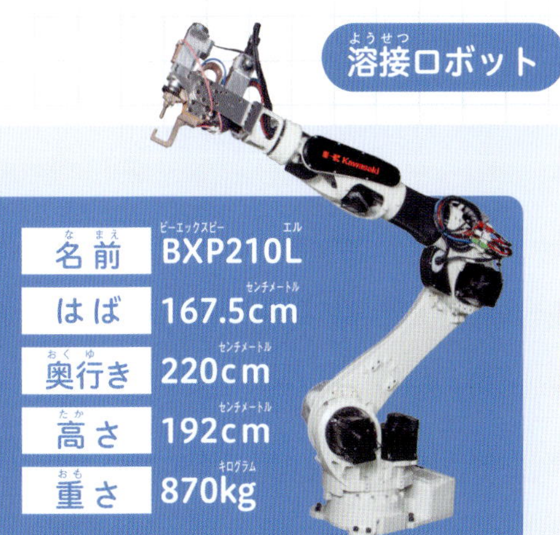

名前	BXP210L
はば	167.5cm
奥行き	220cm
高さ	192cm
重さ	870kg

塗装ロボット

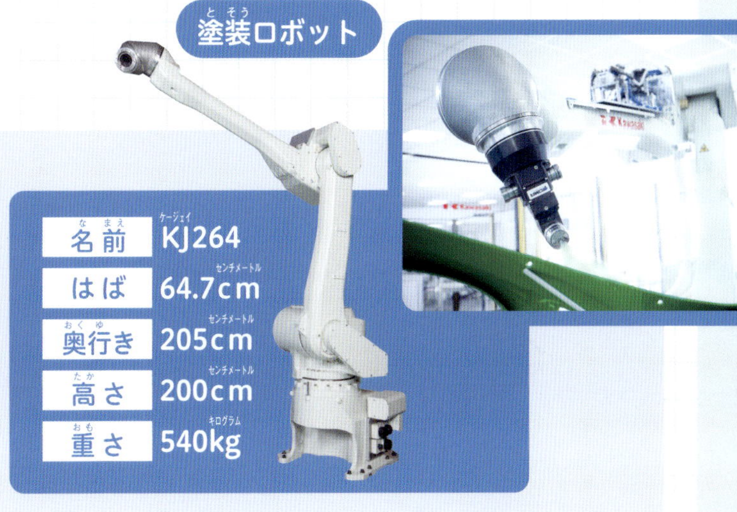

名前	KJ264
はば	64.7cm
奥行き	205cm
高さ	200cm
重さ	540kg

5 組み立て

塗装がおわると、メーターやエンジンなどのさまざまな部品をとりつけます。さいごにシートやドアがとりつけられます。

6 検査

エンジンやブレーキなど、すべての部品が正しくうごくか、きびしく検査します。きずやへこみがないかもたしかめます。

完成！

※3つのロボットの大きさは、しごとをはじめる前のきほんの姿勢をはかったものです。

朝も夜も休まずにはこぶ

自動車運搬ロボット

スタンは、自動車工場でつくった自動車を、工場の外にはこぶためにつくられたロボットです。運転手がいなくても、一日中自動で自動車を移動させることができます。今は、工場だけでなく、ヨーロッパの国々の空港にある駐車場でもはたらいています。

アーム

荷台

ここがすごい！

自動車の大きさに合わせて、荷台の長さをのびちぢみさせることができます。8本のアーム（うで）でやさしくタイヤをはさみ、荷台にのせた自動車をもち上げてきめられた場所まではこびます。

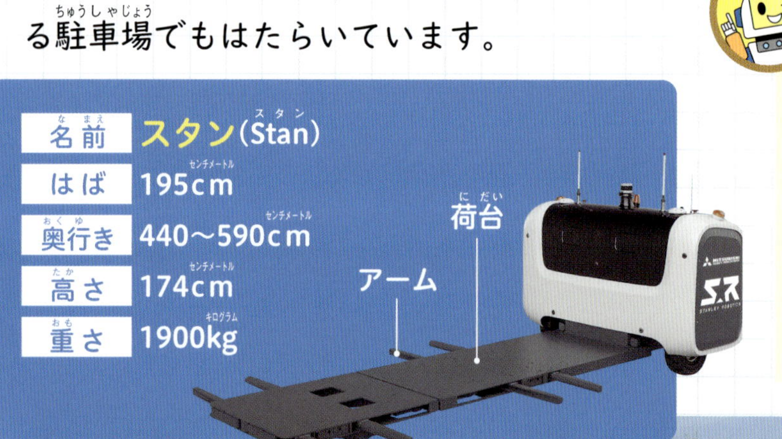

名前	スタン（Stan）
はば	195cm
奥行き	440〜590cm
高さ	174cm
重さ	1900kg

 写真：三菱重工業、三菱重工機械システム、スタンレーロボティクス社

部品や製品をはこぶ

自動搬送ロボット

イヴ・オートは、大きな工場の中を自動でうごいて、荷物をはこぶ自動搬送ロボットです。1500kgまでの荷物なら、引っぱってはこぶことができます。自動運転の技術がつかわれていて、まわりの人やものに気づき、安全に止まることができます。

名前	イヴ・オート (eve auto)
はば	110.5cm
奥行き	227.5cm
高さ	188.5cm
重さ	483kg

ここがすごい！

じょうぶにつくられていて、坂道やでこぼこ道でも重い荷物がはこべます。暗い場所でもまわりのものに気づくセンサーをつかって走るので、人が運転しなくても、夜や雨の日でも目的地にたどりつきます。

写真：eve autonomy

監修

平沢 岳人
ひらさわ・がくひと

千葉大学大学院工学研究院教授。1964年生まれ。東京大学建築学科卒業、同大学院工学研究科修了、博士（工学）。建設省（当時）建築研究所第四研究部、仏建築科学技術センター(CSTB)客員研究員、仏国立情報学自動制御研究所(INRIA)招聘研究員を経て、2004年より千葉大学工学部助教授。建築ものづくりにロボットを応用する研究に従事。

国語指導

流田 賢一
ながれだ・けんいち

大阪市立堀川小学校教諭。1982年、大阪府出身。2005年、大阪教育大学教育学部卒業後、大阪市立西淡路小学校に教員として勤務する。2015年、国語科の授業づくり、社会で必要となる力の育成について研究したいという思いから、大阪教育大学連合教職大学院に進学。現在、大阪市立堀川小学校で、首席として他の教職員の指導にもあたっている。

協力企業・団体一覧（掲載順）

株式会社安川電機／株式会社アールティ／オムロン株式会社／フラウンホーファー日本代表部／ugo株式会社／国立大学法人千葉大学／Tesla Japan合同会社／川崎重工業株式会社／三菱重工業株式会社、三菱重工機械システム株式会社、スタンレーロボティクス社／株式会社eve autonomy

監修 ―― 平沢岳人
国語指導 ―― 流田賢一
装丁・本文デザイン ―― 倉科明敏（T. デザイン室）
企画・編集 ―― 山岸都芳・渡部のり子（小峰書店）
川邊剛彦・古川貴恵・楠本和子・渡邊里紗（303BOOKS）
イラスト ―― バーヴ岩下

はたらくロボットずかん ③
工場ではたらくロボット

2025年4月6日　第1刷発行

発行者　小峰広一郎
発行所　株式会社小峰書店
〒162-0066 東京都新宿区市谷台町 4-15
TEL 03-3357-3521　FAX 03-3357-1027
https://www.komineshoten.co.jp/
印刷・製本　TOPPANクロレ株式会社

NDC548　31p　29×23cm
ISBN978-4-338-37103-2

ロボットをしょうかいしよう!

書き方のれい すきなロボットをえらんで、ロボットせつめい書をつくりましょう。

ロボットせつめい書　2年　2組　名前　こみね　みこ

自分がしょうかいしたいロボットをえらんで、□に✓を入れましょう。

✓ 6〜25ページにのっているロボット　　□ 自分で考えたロボット

えらんだロボットの名前を書きましょう。

ロボットの名前：ユーゴーミニ

ロボットの絵

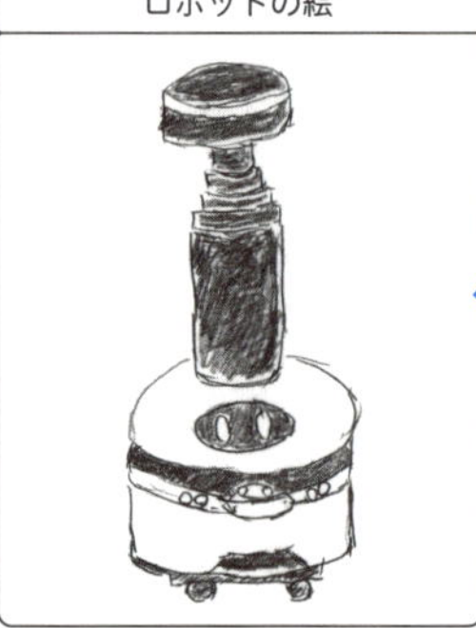

えらんだロボットの絵をかきましょう。

●どこで、どんなことをするロボットですか？

広い工場を、見回ってくれる点けんロボットです。工場の中をしらべて、もんだいがあるときは教えてくれます。カメラでしゃしんやえいぞうもとれます。

ロボットがいる場所とできることを書きましょう。

●だれのどんなこまりごとから、つくられましたか？

点けんをする人は、たくさんのメーターをしらべるので、点けんしわすれたり、まちがえたりしてたいへんです。

ロボットがつくられたきっかけを1つ書きましょう。

●どんなしくみやひみつがありましたか？

高くのびるテレスコピックポールにはカメラがついていて、高いところにあるメーターでもしゃしんがとれます。

すごいと思ったしくみやひみつを1つ書きましょう。

●このロボットがあれば、わたしたち人間に、どのように役立つと思いましたか？

ユーゴーミニは、広い工場を見回ってもつかれないので、休まずに1日に何回も点けんすることができます。はやく正しく点けんして記ろくできるので、工場のあんぜんもまもられるし、工場の人たちもあんしんしてはたらけると思いました。

ロボットがどのようにかつやくし、わたしたちの役に立っているのかを書きましょう。

大阪市立堀川小学校教諭　**流田賢一先生**より

「ロボットせつめい書」に書かれた質問の答えを、本の中からさがします。クイズに答えるように、大事な言葉を見つけましょう。「だれのどんなこまりごとから、つくられましたか？」という質問の答えは、だれかの「こまりごと」が本の中に書かれているはずなので、さがしてみてください。なんども書くと、短い言葉でせつめいできるようになります。自分で考えたロボットのせつめいにも、つかってみてくださいね。